BOOK SOLD
NO LONGER R.H.P.L.
PROPERTY

Granny Granole

en vedette

Catalogage avant publication de Bibliothèque et Archives nationales
du Québec et Bibliothèque et Archives Canada

Dumais, Geneviève, 1977-

    Granny Granole en vedette

    (Jojo et Justine ; 1)
    Pour enfants de 8 ans et plus.

    ISBN 978-2-89591-300-9

    I. St-Aubin, Bruno. II. Titre.

PS8607.U441G72 2017   jC843'.6   C2016-942240-2
PS9607.U441G72 2017

Tous droits réservés
Dépôts légaux : 1er trimestre 2017
Bibliothèque nationale du Québec
Bibliothèque nationale du Canada
ISBN 978-2-89591-300-9

Illustrations : Bruno St-Aubin
Mise en pages : Amélie Côté
Correction et révision : Bla bla rédaction

© 2017 Les éditions FouLire inc.
4339, rue des Bécassines
Québec (Québec) G1G 1V5
CANADA
Téléphone : 418 628-4029
Sans frais depuis l'Amérique du Nord : 1 877 628-4029
Télécopie : 418 628-4801
info@foulire.com

Les éditions FouLire reconnaissent l'aide financière du gouvernement du Canada
pour leurs activités d'édition.

Elles remercient la Société de développement des entreprises culturelles
du Québec (SODEC) pour son aide à l'édition et à la promotion.

Elles remercient également le Conseil des arts du Canada de l'aide accordée
à leur programme de publication.

Gouvernement du Québec – Programme de crédit d'impôt pour l'édition de livres –
gestion SODEC

Imprimé avec des encres végétales sur
du papier dépourvu d'acide et de chlore
et contenant 100 % de matières recyclée
post-consommation.

Canada

IMPRIMÉ AU CANADA/PRINTED IN CANADA

RICHMOND HILL PUBLIC LIBRARY
32972000946345   **RH**
Granny Granole en vedette
May 31, 2018

Jojo et Justine

Geneviève Dumais

1

Granny Granole en vedette

Illustrateur : Bruno St-Aubin

ÉDITIONS
FouLire

CHAPITRE 1

Une semaine de relâche pas comme les autres

– Chers auditeurs, vous écoutez Théo Radio. Au micro, Théo Saucier, votre animateur préféré! La semaine de relâche vient de commencer. Que faites-vous durant le congé?

D'une minute à l'autre, mon meilleur ami doit m'interviewer. Ouf, je suis nerveuse à l'idée de parler à la radio. Bon, Théo Radio compte sûrement très peu d'auditeurs pour le moment. Mais tout de même...

– Pour cette première du Théo Show, je reçois en entrevue une fille qui va vivre des vacances pas comme les autres. Elle s'appelle Justine Ranger... Mais sa chambre est toujours en désordre. Restez à l'écoute!

Quoi! Mon ami parle de mon fouillis au micro?

La chanson du groupe Scarabée 360 joue maintenant à tue-tête. Théo retire ses écouteurs et me regarde, mort de rire.

– Ranger, désordre... C'est drôle, hein?

– Pas assez pour le dire à la radio quand même!

Je ne suis pas vraiment en colère contre Théo. Il est seulement convaincu que ses jeux de mots feront un jour de lui le roi des animateurs radio.

Comme il faut bien commencer quelque part, mon ami lance sa propre webradio durant la relâche. En plus de l'avoir aidé à monter son site Web, son père a aménagé un petit studio dans le sous-sol.

– Il reste exactement 2 minutes 33 secondes avant le retour. Tu es prête pour ton entrevue, Justine?

– Euh, oui…

Théo est très excité. Il a toujours plusieurs idées dans la tête en même temps. On ne s'ennuie pas avec lui.

Quand Théo a emménagé avec son père dans la maison d'à côté, je n'étais pas certaine qu'on allait s'entendre. Enfin, je croyais surtout que Théo n'arriverait pas à m'entendre… Il parlait sans arrêt et très rapidement. Difficile de placer un mot.

Moi, je pense vite, mais je suis timide, alors parfois, j'hésite à prendre la parole.

Comme on est amis depuis longtemps, je ne suis plus du tout gênée avec Théo maintenant. Je lui raconte beaucoup de choses, moi aussi. C'est comme ça qu'il a appris que ma semaine de relâche serait plutôt spéciale cette année.

Selon lui, plusieurs personnes aimeraient être à ma place. Moi, je ne sais pas trop. C'est Mamie qui a tout organisé…

– Justine, je vais te poser des questions sur la carrière de Jojo et on finit avec les dates de spectacles.

– Mais je ne sais pas grand-chose, Théo ! Elle arrive seulement demain et je ne l'ai jamais rencontrée de ma vie.

La chanson de Scarabée 360 est sur le point de se terminer et Théo réfléchit à toute vitesse.

– Mets tes écouteurs ! me presse-t-il.

La musique s'arrête et Théo reprend le micro :

– De retour au Théo Show, l'émission d'hiver à écouter quand t'es au chaud ! Ha ! ha !

Mon ami semble si fier de son jeu de mots que je ne peux m'empêcher de rigoler. Je réalise au même moment que mes éclats de rire sont diffusés !

– Celle qu'on entend en studio est mon amie Justine Ranger. Elle vient nous parler de la semaine de relâche extra-or-di-naire qui l'attend.

Très sérieux dans son rôle d'intervieweur, Théo me regarde droit dans les yeux et me lance sa première question sans détour:

– Justine, tu passes toute la relâche scolaire seule avec une artiste de renommée internationale que tu rencontres demain pour la première fois. Crois-tu que cette expérience va changer ta vie?

Je n'y avais jamais pensé!

Et si c'était le cas?

CHAPITRE 2

Le vol Los Angeles–Montréal

Il y a tellement de monde à l'aéroport en ce lundi matin !

Comment faire pour reconnaître Jojo ? J'essaie de me souvenir des photos.

Avant de partir pour l'hôpital, Mamie a ouvert son gros album. On y voit Jojo devant sa maison en Californie, Jojo sur une scène avec son drôle d'instrument de musique et même Jojo en voyage à dos d'éléphant !

C'est une grande musicienne connue à travers le monde, oui. Mais c'est aussi la sœur de Mamie. Pourtant, elles ne sont pas pareilles du tout. Impossible de moins se ressembler !

Moi, Justine, je suis enfant unique, mais si j'avais une sœur ou un frère, je suis certaine qu'on aurait au minimum un tout petit air de famille. Pas Mamie et Jojo!

Sur presque toutes les photos, Jojo a les cheveux entortillés dans des foulards. Elle porte toujours le même gros collier de prêtresse inca et des petites lunettes rondes au bout du nez.

Mamie, c'est tout le contraire! Pour elle, c'est capital d'avoir les cheveux bien placés en tout temps.

– Il faut dompter ta rosette, ma chouette! me répète-t-elle souvent.

Mes cheveux à moi forment une étrange vague au beau milieu de mon front. Théo dit que c'est parce qu'il y a beaucoup d'action dans ma tête! Je sais bien que c'est une blague, mais c'est vrai que je me pose beaucoup de questions. Là, par exemple, je me demande si Mamie est bien à l'hôpital.

Elle vient d'être opérée à son pied gauche. Si au moins l'opération durait le temps d'un coup de talon et puis hop à la maison ! Mais non. Elle doit dormir trois nuits à l'hôpital avant de pouvoir sortir le petit orteil dehors.

Ce sera ma première semaine de relâche à vie sans elle.

– Justine mérite des vacances avec une mamie et, s'il le faut, je vais lui en trouver une pour me remplacer !

Mamie a répété cette phrase à mes parents au moins une centaine de fois depuis qu'elle connaît la date de son opération.

C'est que ma mère a des dossiers trop importants pour s'absenter du bureau à cette période de l'année. Chez le concessionnaire où travaille mon père, c'est LA semaine où les acheteurs viennent voir les voitures avant le printemps. Impossible pour lui également de prendre congé.

Mamie s'est vite souvenue que sa sœur Jojo, la grande musicienne, serait en spectacle à Montréal au début du mois de mars. Elle va donc passer ses journées avec moi et ses soirées sur scène. Je vais même assister aux concerts.

– L'avion s'est posé à l'heure. Je vais arriver à temps pour la réunion de ce midi !

Ma mère, Marie-Ève, parle ENCORE avec l'adjointe du directeur. Depuis notre arrivée à l'aéroport, elle avance le téléphone vissé à l'oreille.

Plantée devant la porte automatique, j'examine chaque voyageur qui sort. Qui sait, ça pourrait être Jojo !

– Tu la vois, maman ?

Ma mère lève les yeux quelques secondes avant de replonger aussitôt dans un texto.

– Est-ce que Jojo est déjà venue à la maison ?

– Euh… une fois, mais tu étais bébé.

Normal que j'aie oublié!

La porte coulissante s'ouvre. Au même moment, ma respiration s'accélère. Des foulards colorés, des petites lunettes rondes et de la fourrure... J'en suis sûre, c'est elle!

– Jojo!

Ma mère sursaute et délaisse enfin son téléphone.

Je file à la rencontre de Jojo pour être bien certaine qu'elle nous a vues. Devant elle, je me sens tout à coup gênée. Elle est si différente des adultes que je connais!

Notre invitée, elle, n'est pas timide du tout. Elle me serre même dans son manteau à poils longs! Lorsqu'elle me lâche, elle m'observe intensément à travers ses lunettes. Son regard me fait un tel effet que je n'ose presque plus respirer!

– Tu dois être la grande Justine ?

Je me contente de hocher la tête.

– Tu as quel âge maintenant ? Euh, laisse-moi me souvenir… Tu es venue au monde l'année du cochon, n'est-ce pas ?

– L'année du cochon ? !

– C'est un signe de l'astrologie chinoise, s'empresse de m'expliquer ma mère.

– Un merveilleux symbole de joie et d'abondance ! ajoute Jojo en passant la main sur ma rosette.

Ce signe chinois a beau porter chance, je n'aime pas du tout l'idée d'être née au moment où une bête qui grogne et se roule dans la boue a été en vedette.

Comme toujours, ma mère lit dans mes pensées.

– T'en fais pas, Justine, tu n'es pas une petite cochonnette… Même si ta chambre a souvent besoin d'un grand ménage!

Ça y est! Je repense à mon lit défait, à mes vêtements sur le tapis, à l'armoire sens dessus dessous… Heureusement, nous avons une chambre d'ami pour notre invitée.

– De grâce, attention à l'étui! Il protège ma précieuse complice.

Quoi! Jojo n'est pas venue seule?

Je comprends vite qu'elle parle de son instrument de musique.

Il est vrai que ma mère pousse rapidement le chariot à bagages où le gros étui tient mal en équilibre. Je devine qu'elle est pressée à cause de sa réunion de midi. Elle jette d'ailleurs un coup d'œil à son téléphone au moins toutes les 30 secondes.

Jojo, elle, se déplace lentement, au rythme des pays chauds.

Près de la sortie, elle s'arrête même tout net pour enrouler, enrouler et enrouler encore un interminable foulard qu'elle remonte jusqu'à son nez. Le manteau boutonné, elle reprend sa marche tête baissée, comme si elle allait parcourir la Sibérie à pied.

– Tante Jojo, notre auto est garée à deux pas de la porte seulement!

Ma mère n'ose pas dire à notre invitée qu'elle est en retard.

– Brrr, brrr, brrr! Ouhhh! C'est pour ça que je ne viens pas plus souvent!

Jojo bondit sur ses pieds à l'entrée du stationnement.

Elle grelotte déjà? Comment va-t-elle survivre à une semaine de relâche en plein hiver?

CHAPITRE 3

Le retour au pays

– Oh ! Ah !

Jojo pousse des cris à travers la ville pendant que nous roulons vers l'hôpital.

– Dire que ça remonte à des années ! Je me souviens : tu étais alors un tout petit bébé, Justine !

Elle se retourne vers la banquette arrière et m'adresse un clin d'œil.

Jojo m'impressionne beaucoup. Je prends tout de même mon courage à deux mains pour lui poser une question :

– Pourquoi tu n'es pas revenue avant ?

– J'aime tellement la Californie! Tu vois, la Californie et moi, c'est l'amour avec un grand A. Là-bas, c'est comme si c'était toujours l'été, alors qu'ici...

– Il fait froid avec un grand F!

Qu'est-ce que je viens de dire là? Sans réfléchir, j'ai lancé une blague comme celles de Théo. Ça m'arrive parfois quand je suis gênée. Théo, lui, c'est tout le temps!

Heureusement, ça fait rire Jojo.

– En vérité, je suis rarement chez moi, poursuit-elle. Dans les dernières années, j'ai surtout présenté mes spectacles sur d'autres continents.

– Entre deux tournées, tu dois sûrement préférer rester à la maison, souligne ma mère.

Au son de sa voix, je sais qu'elle est tendue par la circulation ralentie et par sa réunion de midi qui approche. J'ai l'habitude. Ma

mère est presque toujours au travail dans sa tête. Même le midi. Même la fin de semaine. Même en vacances!

– Évidemment. C'est merveilleux d'aller absolument partout grâce à ma cithare. *Well,* elle me ramène aussi à Montréal en plein mois de mars!

Cithare, voilà! Mamie a beau me l'avoir répété, j'oublie toujours le nom de ce drôle d'instrument à cordes.

– C'est quoi, Jojo, le nom du festival dont tu es l'invitée d'honneur cette année ?

Ma mère s'efforce de faire la conversation, mais elle semble de plus en plus stressée par le temps qui file. Ses mains sont crispées sur le volant.

– Le Relâché lousse !

– Hein ?

Ce nom prend ma mère par surprise. Moi, il pique ma curiosité. On sait tout de suite qu'il s'agit d'un événement qui sort de l'ordinaire. Le genre d'activité qui ne ferait pas partie des sorties scolaires même si elle avait lieu à un autre moment. J'imagine la lettre de l'école si l'on devait y aller avec toute la classe :

Chers parents,

Pour la prochaine sortie pédagogique, votre enfant se rendra avec sa classe au festival Relâché lousse. À cette occasion, les élèves feront n'importe quoi toute la journée comme des graffitis sur les murs, des courses de zombies et des bulles de savon pendant le spectacle.

La directrice

– Tu vas découvrir ce festival artistique avec moi. Je n'y ai jamais assisté, mais il accueille des dizaines de musiciens chaque année!

Je sursaute. Jojo me ramène à la réalité.

La voiture ralentit. Jojo a demandé à ma mère de nous déposer chez le fleuriste qu'elle vient d'apercevoir à deux pas de l'hôpital. Elle précise :

– Marie-Ève, la cithare ne peut rester dans l'auto. Elle est comme moi, elle ne supporte pas le froid!

Hum, j'imagine bien mal le gros étui noir dans le petit cubicule où ma mère travaille...

– Vous embrasserez Mamie pour moi ! lance ma mère avant de repartir en trombe.

Sur le trottoir, nous regardons la voiture s'éloigner. Jojo et moi sommes maintenant seules toutes les deux. Je l'observe du coin de l'œil. Le vent souffle dans ses foulards et des flocons de neige s'accrochent à ses cils. Elle tourne la tête vers moi, puis m'adresse un large sourire.

Je me sens excitée. J'ai l'impression qu'une aventure commence…

CHAPITRE 4

Des souvenirs lointains

– Haaa !

Dès que j'entre dans la chambre d'hôpital, Mamie pousse un petit cri de stupeur. Ça se comprend ! Avec l'énorme fougère que je tiens dans mes mains, je ressemble plus à une créature feuillue qu'à une fille.

– Justine, ma petite coquine, viens que je te bécote !

Mamie m'attend dans son lit, les bras grands ouverts.

– Et moi, alors ?

Jojo nous rejoint vite et enlace Mamie.

– Ma sœur, tu n'as pas changé, mais tes cheveux ont encore blanchi !

– Ma tignasse couleur nature, j'en suis fière, madame Blond cendré de chez le coiffeur !

Elles éclatent de rire en même temps. Même vieilles, les sœurs se taquinent. Je n'aurais pas imaginé ça !

Je regarde tout à coup le pied de Mamie entouré de plâtre. Il semble si lourd. Mamie agite ses orteils pour m'amuser.

– Tu vois, je me remets bien de l'opération !

– Avec les plantes qu'on t'a apportées, Jojo dit que tu vas guérir encore plus vite ! Elles vont filtrer l'air de ta chambre !

Mamie roule les yeux. De toute évidence, elle ne croit pas trop au truc de Jojo.

– Tu sais comment je vais t'appeler, Jojo ? Granny Granole.

– Pourquoi pas! *Granny*, c'est le nom qu'on donne parfois aux mamies en Californie. Je n'ai pas été maman, mais je serai en quelque sorte la grand-maman de Justine, cette semaine!

Je demande :

– Et granole, ça veut dire quoi?

Je connais les céréales et les barres granola, mais quel est le lien avec Jojo?

– Ça désigne les bourlingueuses qui portent encore les cheveux longs et un gros collier! répond Mamie en continuant de taquiner Jojo.

Jojo rigole et dépose un petit géranium sur la table de chevet.

– Les plantes, c'est peut-être bien beau à regarder, mais ça fait de la terre partout!

Fidèle à ses habitudes, Mamie parle maintenant propreté. Ce n'est pas son pied dans le plâtre qui va la changer!

– Tu entends ça, Justine? Ta mamie se plaint de quelques grains de sable, alors qu'elle jouait dans le désert à ton âge!

Je n'en crois pas mes oreilles.

– C'est vrai, Mamie?

– Notre père était ambassadeur et nous avons passé une année près du Sahara.

D'un seul coup, le sourire de Mamie s'est effacé.

– Et vous habitiez dans le désert?

Ma tête bouillonne devant cette histoire que je découvre. Je veux tout savoir sur leur vie là-bas. J'imagine même Mamie et Jojo aller à l'école à dos de chameau!

C'est bizarre, Mamie ne dit rien.

Jojo se met à raconter :

– En fait, on habitait la capitale, mais comme notre père était souvent en fonction, on partait parfois avec maman pour de petites expéditions dans le désert.

– Toutes seules ?

– Non. Nous avions un guide. Le désert peut être dangereux, coupe Mamie d'un ton grave.

Mamie a les sourcils froncés et la mâchoire serrée. C'est la première fois que je la vois dans un tel état. Pourtant, les dunes de sable doré sont plutôt de beaux souvenirs, non ?

– On allait aussi se baigner dans la mer Méditerranée, dit Mamie sans plus rien ajouter.

Le désert n'est visiblement pas son sujet préféré !

Je me rappelle alors la surprise que j'ai préparée.

– Parlant de la mer, regarde ce que j'ai pour toi. C'est la couleur turquoise du Pacifique !

Je sors de mon sac à dos un pot de vernis à ongles bleu-vert. J'ai apporté toute ma collection : corail givré, rose petite fée, rouge nuit de vampire, prune-chocolat...

– C'est pour te faire une piqûre, Mamie... Euh, une pédicure !

– J'aime mieux ça !

Mamie retrouve doucement son sourire habituel.

– Je porte rarement des teintes aussi éclatantes, mais puisque tout est beige ici, à part mes nouvelles plantes bien sûr, ça me fera du bien !

En un rien de temps, me voilà à l'autre bout du lit en train de placer des boules de coton entre les orteils de Mamie. Chatouilleuse, elle ne peut s'empêcher de rire.

– Ça me rappelle notre petit chien Camel qui nous reniflait les pieds avec son museau mouillé avant que...

Mamie se tait aussitôt, le regard lointain. Elle semble triste sans raison. Mais que se passe-t-il donc avec Mamie lorsqu'elle parle de cette année à l'étranger?

– Camel, c'est un petit chien brun clair que papa nous avait offert lorsqu'on est allées le rejoindre là-bas, m'explique-t-elle d'une voix sérieuse.

– Il est même venu nous chercher à l'aéroport avec lui, se souvient Jojo.

Ce petit chien du désert m'intrigue.

– Est-ce qu'il mangeait les mêmes choses qu'un chien d'ici?

– Non. Lui, il mangeait les babouches! s'exclame Jojo.

Mamie rit de cette blague. Sa tristesse a disparu.

– Ah oui! On retrouvait toujours nos pantoufles en cuir d'agneau toutes mâchouillées et dégoulinantes!

Mamie et Jojo parlent sans s'arrêter de ce voyage. Je ne veux pas perdre un mot de ce qu'elles racontent.

– Avec des draps, on jouait aux Bédouins. On se faisait des habits d'hommes du désert et on partait à l'aventure dans l'appartement.

– Comme tu as bonne mémoire, Jojo ! D'autres fois, on montait une tente avec des couvertures.

– Et ton arrière-grand-mère, Justine, nous donnait quelques dattes à grignoter.

De souvenir en souvenir, le vernis sur les ongles de Mamie finit par sécher. Dehors, c'est la tempête. Je sens qu'on va bientôt rentrer. D'ailleurs, Jojo veut répéter pour son premier concert, prévu demain.

J'ai hâte d'y assister. Il ne faudra rien oublier de ce spectacle, car j'ai promis de tout raconter en exclusivité à Théo Radio !

CHAPITRE 5

Un soir de première

Est-ce qu'on se serait trompés d'endroit ?

La place déserte où l'on se trouve ne ressemble pas trop à un théâtre. L'endroit
porte même un nom bizarre : la salle des
pas perdus.

– Mais c'est une ancienne gare ! s'exclame
Jojo.

Rouge de chaleur sous son gros manteau,
Simon, mon père, traîne la cithare quelques
pas derrière. Je crois qu'il est fatigué de
sa longue journée passée à vendre des
voitures.

– Jojo, êtes-vous certaine que vous jouez
ici ?

Jojo ne répond pas. Elle fredonne une mélodie.

J'aperçois un grand carton avec une flèche rouge au-dessus de laquelle on peut lire : Relâché lousse.

– C'est par ici, papa !

On entend des bruits au loin.

Essoufflé, mon père s'approche lentement de l'affiche.

– Jouer dans une vieille gare... Marie-Ève avait raison : elle n'est pas ordinaire, cette Jojo.

Nous voilà enfin sur les lieux du spectacle. Oh, mais qu'est-ce que je vois ? Au centre de l'espace, il y a un wagon de train !

Je m'en approche. Il semble tout droit sorti d'une autre époque avec ses banquettes de velours rouge. C'est drôle, plusieurs personnes s'affairent à l'intérieur.

– *Check, testing, one, two.*

Des mots anglais résonnent à répétition.

D'où peut bien venir cette voix?

Je repère un homme à casquette assis derrière une table pleine de boutons. On dirait la tour de contrôle d'un aéroport!

– Hi! hi! hou! ha! ha!

Le rire aigu de Jojo retentit.

En voulant la rejoindre, je trébuche sur un fil au sol.

– Attention, ma grande! On n'a pas encore terminé l'installation, me souffle un homme qui travaille au spectacle.

– Justine, viens que je te présente!

Du fond de la salle, Jojo me fait de grands signes.

Plus je m'approche, plus je sens la timidité monter. Il y a de quoi! Jusqu'à maintenant, Jojo était la seule adulte différente que j'avais rencontrée. Là, tous ceux qui l'entourent sont comme elle! Des gens tellement spéciaux qu'on n'en croise ni dans la rue ni à l'épicerie.

Le monsieur avec qui Jojo parle porte une chemise de cowboy et des souliers en peau de crocodile. Il a le crâne rasé, mais une longue barbe rousse. Ce n'est pas mon père qui choisirait ce style!

La femme aux cheveux frisés qui rit avec eux a des lunettes aussi larges qu'un masque de plongée! Et elle me regarde m'approcher. J'espère qu'elle ne me voit pas trop rougir.

– Voici Justine! Je suis sa grand-maman de remplacement pour la relâche. Sa Granny Granole!

Jojo m'attire à elle, puis s'empresse de me présenter.

– Justine, c'est Victor, l'organisateur du festival Relâché lousse. C'est un vieil ami.

Victor se penche vers moi en caressant sa barbe.

– C'est la première fois que tu viens voir jouer Jojo?

Je fais oui de la tête. Rouge comme une tomate, j'arrive quand même à lui poser une question :

– Est-ce que le spectacle va être dans le wagon de train?

– Absolument! Au festival Relâché lousse, les représentations ont lieu partout, partout… Sauf dans des salles de spectacle. C'est une expérience complètement différente pour l'artiste et le spectateur!

Mon père s'avance vers nous, encore plus essoufflé que tout à l'heure.

– Où est la scène? Faudrait que je mette l'instrument quelque part!

– Il n'y a pas de scène, papa. Jojo va jouer dans le train!

Mon père pousse un soupir de fatigue et se laisse tomber sur une chaise.

Pauvre papa! Il semble ne rien comprendre. Ça nous change de notre routine! Ce n'est pas tous les jours qu'on rencontre des artistes comme Jojo...

***

Il ne reste qu'une heure avant le début du spectacle.

– Ce soir, j'improviserai un morceau qui s'appelle *L'Orient-Express,* m'explique Jojo en terminant son maquillage. Tu sais, je suis déjà montée à bord de ce train légendaire qui traversait l'Europe d'une traite.

– Est-ce que Mamie voyageait avec toi?

– Hélas, non. Ta mamie craint le voyage et l'aventure depuis ce qui s'est passé dans le désert...

– Qu'est-ce qui s'est...

– Jojo, tu peux venir pour un dernier test de son ?

L'homme à la casquette vient de faire irruption.

– J'arrive dans une minute !

Jojo se lève doucement pour fermer la porte de sa loge. Elle prend une grande respiration, puis s'assoit face à moi. Je sens qu'il se passe quelque chose d'important.

– Justine, écoute-moi bien. Ta mamie se trouve dans le plâtre parce qu'elle refuse de poser les pieds hors de sa zone de confort.

– Hein ?

Mamie semble pourtant très bien se déplacer quand elle n'a pas de problème de pied.

– On doit tout tenter pour l'aider à sortir le venin qui l'empoisonne depuis le désert…, ajoute Jojo, pleine de mystère.

Je fouille dans ma tête pour essayer de comprendre.

– Je ne peux t'en dire plus maintenant, mais je t'annonce que nous avons une mission spéciale pour la relâche, Justine.

Si je m'attendais à ça !

CHAPITRE 6

Un visiteur intrigant

Les portes du wagon vont bientôt se fermer. Le spectacle va commencer.

Moi, j'attends ma mère dans la salle des pas perdus, tout près de l'entrée où les gens présentent leur billet de spectacle.

Elle n'est toujours pas arrivée. Probablement à cause de son travail... Comme d'habitude, quoi !

Mon père, lui, surveille nos places près de la scène. Mais je crois qu'il fait plutôt une sieste dans son siège de velours rouge !

– On a vendu tous les billets ! s'exclame Victor, l'air content.

Wow! Beaucoup de gens veulent donc voir Jojo en spectacle!

À travers sa barbe rousse, Victor donne des explications au jeune homme qui s'occupe de la billetterie.

– Michaël, informe les personnes qui n'ont pas réservé leur place qu'il y aura un autre spectacle demain soir aux bains publics du quartier!

– Hein?

Le Michaël de la billetterie ne semble pas comprendre. Moi non plus!

– Jojo va jouer dans une sorte de piscine intérieure qui est vide depuis longtemps, précise Victor, l'œil brillant. Au festival Relâché lousse, on a les lieux de spectacle les plus inattendus en ville! Bon, je vais aller avertir Jojo que c'est sur le point de commencer.

Victor est déjà parti. On n'entend plus que le clac, clac de ses souliers en peau de crocodile.

– Attends ! lui crie Michaël.

Il semble avoir quelque chose d'important à lui dire.

– Tu peux surveiller l'entrée deux minutes ?

Sans me laisser le temps de répondre, Michaël s'élance déjà à sa poursuite.

Je me retrouve seule.

Des pas lents résonnent maintenant dans la gare. Ce n'est ni la course de Michaël ni les souliers en peau de croco de Victor. Est-ce ma mère qui arrive enfin ?

Sûrement pas. Elle ne se déplace jamais lentement et encore moins sans parler au téléphone !

Les pas s'approchent.

Un monsieur aux cheveux ébouriffés se dirige vers moi. Il ne ressemble pas du tout aux autres spectateurs. Il a plutôt l'air d'un fermier ou d'un bûcheron.

De plus près, je remarque des saletés sur son manteau. Ça semble être des poils…

– Bonsoir. Je viens pour voir madame… euh… Jojo !

– Euh…

Michaël n'est toujours pas revenu. Je me tiens derrière le comptoir sans savoir quoi dire.

– Oh, il faut un laissez-passer ?

Le monsieur lit la petite affiche de la billetterie d'un air étonné. Je finis par trouver quelque chose à lui répondre :

– Il ne reste plus de billets.

– Oh! Cette dame a insisté pour qu'on se parle au plus vite. Comme j'avais affaire en ville...

L'homme se gratte la tête. Il est encore plus échevelé!

Lui, il a plus qu'une vague au milieu du front, ça se voit tout de suite! Je voudrais bien l'aider... Après tout, c'est comme si l'on était membres d'un même club: celui des têtes à rosettes!

Je guette le fond de la salle. Toujours pas de Michaël!

Le monsieur finit par sortir un stylo de sa poche. Il griffonne rapidement quelques mots, puis me tend un vieux bout de papier.

– Bon, bien, dis-lui de m'appeler, s'il te plaît! Je vais m'en retourner tout de suite avant qu'il se remette à neiger. J'ai une longue route à faire.

Et il repart comme il est arrivé!

Je jette un coup d'œil sur le bout de papier qu'il m'a laissé.

Berger de l'Atlas
817 567-9543

Un berger! Pourquoi Jojo veut-elle tant parler à quelqu'un qui garde les moutons?

Zing, zang, zing…

Un son unique monte maintenant au loin.
C'est la cithare.

Le spectacle est commencé. Et ma mère
qui n'est toujours pas arrivée !

***

Dans tout le wagon, on siffle et on applaudit. Le spectacle était formidable!

Jojo, très souriante, salue le public.

Ma mère, qui a fini par se pointer, s'est levée de son siège pour l'ovation debout.

Des sifflements aigus attirent mon attention. Je me retourne. Debout, au fond du wagon, Victor sourit de toutes ses dents à travers sa barbe rousse.

Plus en forme que tout à l'heure, mon père tape très fort dans ses mains.

– Bravo, chère Granny Granole! crie-t-il, blagueur.

Jojo a entendu et souffle un baiser dans notre direction. Nos regards se croisent. Elle m'adresse un clin d'œil complice. Un peu comme celui qu'elle m'a fait tout à l'heure en parlant d'une mission spéciale…

Le berger ferait-il partie du mystère?

Vite, je fouille dans ma poche. Le bout de papier avec le numéro de téléphone y est toujours. J'ai soudain très hâte de retrouver Jojo dans la loge pour le lui montrer.

– Si tu savais, Théo, on est rentrés vraiment tard hier soir!

Je suis encore un peu endormie, mais j'ai promis à mon ami une entrevue à Théo Radio ce matin.

– Mmm.

Théo m'écoute distraitement. Il se concentre plutôt sur l'ajustement des micros avant que l'émission commence.

– Testing, one, two, fait Théo.

Bon, un autre test de son!

Puisque mon ami est occupé, j'ai enfin la possibilité de parler. Je lui raconte donc toute la soirée :

– Après le concert, il y a eu une petite fête pour Jojo à la gare. C'était la première fois que je sortais passé minuit un soir de semaine… même pendant la semaine de relâche. En plus, je n'avais jamais vu mes parents comme ça. Ils étaient différents. Quand les joueurs de tam-tam ont commencé à jouer, ma mère s'est même mise à danser avec les autres invités. Pour une rare fois, elle ne pensait pas au travail. T'imagines ça, Théo ?

– Wow ! Tu veux dire qu'elle ne dansait pas avec son téléphone ? !

Théo et moi, on pouffe de rire. C'est qu'il connaît très bien ma mère !

Tout est prêt et il reste cinq bonnes minutes avant le début du Théo Show. À la radio, je vais parler du spectacle d'hier et du festival Relâché lousse. Mais, juste avant, j'ai envie d'annoncer à mon meilleur ami qu'une mission m'attend…

Le hic, c'est que je ne suis pas certaine de me souvenir de tout. Il était tard dans la soirée quand j'ai enfin pu parler à Jojo de la visite du berger. Si je me rappelle bien, elle a lu le bout de papier, puis m'a dit quelque chose d'étrange comme :

– Le plan fonctionne, Justine. Le passé sera bientôt balayé, foi de Granny Granole.

Dans ma tête, je cherche les autres paroles de Jojo. Zut, j'étais si fatiguée que c'est comme si j'avais rêvé !

Oh, je me souviens peut-être d'une chose : Jojo veut retrouver le chien Camel…

Mais quel animal peut bien vivre aussi longtemps ?

CHAPITRE 8

Le récit du désert

– Comment s'est passé le concert? demande Mamie, bien installée dans son lit d'hôpital.

Je suis excitée et je ne sais pas par où commencer : la gare, les applaudissements ou la fête ?

– Eh bien, le spectacle avait lieu dans un wagon de train, Mamie !

Mamie se tourne vers Jojo, presque en colère, et lui lance :

– Vous y avez amené Justine ? C'est beaucoup trop tard pour une petite fille de son âge ! Un festival comme celui-là n'est pas du tout approprié pour les enfants et…

– Ma chère sœur, Justine était avec ses parents en toute sécurité! Que veux-tu qu'il lui arrive? la coupe Jojo.

– Mais tout peut arriver dans un endroit qu'on ne connaît pas! La nuit en plus!

– Ma sœur, tu vis dans la crainte depuis notre dernière visite dans le désert! Avant, tu rêvais d'explorer la planète au grand complet, se désole Jojo.

Je n'ai jamais vu Mamie dans cet état! Je m'approche d'elle doucement.

– Tout s'est bien déroulé hier soir, Mamie. Tu n'as pas à t'inquiéter.

– Je sais, ma grande.

Mamie me serre fort dans ses bras.

– Tu as raison, Jojo. Depuis l'accident du désert, je voudrais prévenir tous les dangers.

– Qu'est-ce qui s'est passé, Mamie?

Mamie soupire, puis m'embrasse sur le front. Cette fois, elle ne dit rien sur ma rosette. Elle est vraiment très sérieuse.

– Si tu savais comme on peut s'attacher à un animal, ma belle Justine. Au point où il devient notre meilleur ami! Jojo et moi, on aimait tellement Camel.

Jojo hoche la tête, mais reste silencieuse. Toutes les deux, on écoute Mamie.

– C'était difficile de quitter Montréal, nos amis, notre école pour aller vivre toute une année près du Sahara avec papa, mais il avait prévu le coup.

– C'était pour ça, le petit chien?

Trop curieuse, je ne peux m'empêcher de poser la question.

– Oui, c'était le plus beau des cadeaux de bienvenue!

Mamie s'anime. À la façon dont elle parle, on jurerait qu'elle vient tout juste de recevoir le chiot.

– Ce petit chien m'a beaucoup aidée à accepter notre nouvelle vie sur un autre continent. Caresser Camel me réconfortait lorsque j'avais le mal du pays, que notre maison me manquait…

– Dire que tu t'ennuyais même du froid et de l'hiver ! se rappelle Jojo.

Blottie dans les bras de Mamie, je la sens se détendre.

– On l'amenait partout, notre petite boule de poils ! Même quand on partait à la mer ou dans le Sahara...

Mamie hésite. Elle se racle la gorge avant de poursuivre son histoire :

– À la fin de notre année à l'étranger, nous avons fait une dernière visite dans le désert. On s'est arrêtés pour observer des cactus aux fleurs magnifiques. Camel trottinait à côté de moi quand il s'est mis à grogner. Notre guide s'est approché et m'a vite éloignée. Un scorpion était sur le point de me piquer ! Je n'ai pas eu le temps d'agripper notre petit Camel. Il s'est mis à hurler presque aussitôt. Le guide me retenait alors que j'appelais Camel de toutes mes forces pour l'éloigner du scorpion. Il gémissait et c'est comme si ses pattes n'arrivaient plus à avancer. Le venin l'avait probablement paralysé. Au bout d'un moment, sa respiration s'est mise à changer et... il s'est effondré sur le sable.

Mamie termine sa phrase avec un trémolo dans la voix.

– Quand je repense à cette histoire, je me sens encore comme si j'avais ton âge, Justine... Si nous n'avions pas pris ces dernières vacances dans le désert... Si nous étions restées à la maison, ce jour-là...

– Ma chère sœur, commence Jojo, les vacances ne sont pas dangereuses. Elles permettent de découvrir de nouveaux horizons. Depuis combien de temps as-tu vraiment changé d'air? Et tu trouves en plus toutes les raisons du monde pour ne pas venir me visiter en Californie. Pourtant, tu aimais voyager...

Mamie soupire et fixe son plâtre.

– Il n'y a que chez moi où je me sens en sécurité… Même mes pieds ne veulent plus se déplacer.

– Ils sont paralysés. La peur est un venin, tu sais…

Jojo a peut-être une curieuse manière de voir la santé, mais on dirait qu'il y a un peu de vérité. Même Mamie semble d'accord !

– Jojo a raison, Justine, la peur, ça empêche d'avancer.

– Mamie, je vais tenter de ne pas veiller tard au spectacle de ce soir.

Mamie me sourit.

– Non, amuse-toi, ma belle Justine ! Après tout, c'est la relâche !

CHAPITRE 9

Une rencontre au poil !

Jojo ne m'a pas encore dit où l'on allait. Ça doit bien faire une heure qu'on roule maintenant!

Durant sa semaine ici, il n'y a qu'aujourd'hui qu'elle n'a pas de concert. Ce matin, au déjeuner, elle m'a demandé: «Ça te dirait qu'on sorte de la ville, ma belle Justine?» Quand j'ai voulu savoir où on allait, elle m'a répondu: «Là où notre mission doit nous mener...»

Puis, elle s'est remise à chantonner et à manger ses granolas au lait de chanvre comme si de rien n'était. Pas moyen d'avoir plus de détails!

Jojo pourrait être agent secret. Au premier coup d'œil, on ne peut pas la soupçonner. C'est juste une dame enjouée et un peu bizarre avec un collier de prêtresse inca et des milliers de foulards. Mais, mine de rien, elle a un plan en tête.

En ce moment d'ailleurs, alors que Jojo conduit l'auto de ma mère, il me semble qu'elle a un véritable regard d'espionne russe derrière ses lunettes rondes !

Jojo, la mystérieuse, se tourne vers moi à cet instant pour me lancer :

– Nous approchons du but, Justine.

La voiture quitte l'autoroute et s'engage dans un petit chemin de campagne.

La maison en pierre est impressionnante, mais la grange au toit vert derrière l'est encore plus. Il y a toutes sortes de sculptures de bois près de la façade.

Est-ce que c'est une ferme ?

Quelque chose me dit que non.

– Attends-moi une minute dans la voiture, Justine. Je reviens vite te chercher! Oh, profites-en pour rattacher ton manteau et remettre ta tuque. Il doit faire TRÈS froid dehors!

Jojo s'empresse de suivre ses propres conseils ! Elle replace ses foulards, s'emmitoufle, boutonne son manteau de fourrure… Pourtant, c'est plutôt doux dehors. On annonce même des chaleurs de printemps pour les prochains jours.

Jojo marche néanmoins très vite jusqu'à la maison. Il me semble même l'entendre pousser des « brrr, brrr » de grelottement !

On lui ouvre et j'aperçois une main d'homme refermer derrière elle une grosse porte de bois massif.

J'observe les alentours, en quête d'indices. J'aimerais bien savoir où l'on est !

Un rayon de soleil frappe l'une des vitres arrière de la voiture. Mes yeux sont éblouis par la lumière du printemps. Une plaine recouverte de neige s'étend à perte de vue. Ça rassemble au désert. Et ça me fait penser à Mamie…

La porte de la maison s'ouvre et Jojo revient vers la voiture, le capuchon enfoncé jusqu'au nez. Elle m'appelle pour que je la rejoigne. Je ne fais ni une ni deux et j'y vais !

Jojo sautille sur place en m'attendant. Comme peut-elle avoir si froid ? Ça, c'est un autre mystère !

Ensemble, on marche rapidement vers la grange au toit vert.

Ça alors ! L'homme aux cheveux ébouriffés venu l'autre soir durant le spectacle nous ouvre ! Il est là, vêtu de son manteau couvert de poils. Mais pourquoi sommes-nous venues rencontrer ce berger ?

Aussitôt, un concert de jappements se fait entendre.

– Venez voir les chiens !

– Quoi ! Ce ne sont pas des moutons ?

Ma question est sortie toute seule, sans que je puisse la retenir!

Jojo et l'homme aux cheveux ébouriffés me regardent, étonnés. Moi, je suis gênée et confuse, mais j'arrive à balbutier :

– Je croyais que vous étiez berger.

Il éclate de rire.

– Moi ? Non ! Je garde les chiens plutôt que les moutons.

Il pousse une porte en sifflotant.

Bien au chaud dans un grand atelier, deux chiens trottinent vers nous en agitant la queue.

– Oh ! Venez me voir, vous deux ! leur lance Jojo.

Accroupie, elle distribue les caresses en multipliant les « oh ! » et les « ah ! ». Plus rien ne semble exister pour elle en ce moment.

L'homme se penche vers moi. J'apprends qu'il s'appelle Michel.

– Ici, c'est mon atelier. Je suis sculpteur et j'accueille aussi les chiens abandonnés qui sont en attente d'un foyer.

Intéressant, mais je ne comprends toujours pas ce qu'on fait ici! En attendant, je m'approche des chiens pour les caresser. Un troisième s'avance maintenant vers nous. Le poil brun et brillant, il a les yeux plissés. On dirait qu'il vient de se réveiller.

– Ohhh!

Jojo pousse un petit cri.

– C'est lui, n'est-ce pas?

– C'est elle! précise Michel.

Jojo gratte affectueusement la tête du chien au pelage doré.

– Regarde, Justine! Camel lui ressemblait, en plus petit. C'est un berger de l'Atlas comme lui!

– Une race de chiens du désert qu'on trouve rarement ici. On pense qu'elle a fait le voyage depuis le Maroc, mais on en sait peu sur les animaux perdus, explique Michel.

Oh, c'est donc pour ce chien qu'on est ici!

– Avec toutes mes tournées de spectacle, je ne pourrai jamais avoir d'animaux, soupire Jojo.

– Ah non? On m'a pourtant dit que vous cherchiez un berger de l'Atlas depuis longtemps. Si ce n'est pas indiscret, pourquoi avez-vous communiqué avec l'organisme de protection des animaux pour lequel je suis bénévole?

– Je me suis dit que ce berger de l'Atlas accepterait peut-être d'aider quelqu'un…

– C'est qu'il a déjà été adopté. Une famille de la région vient le chercher dans trois jours.

– Ça nous laisse donc un peu de temps pour accomplir notre mission !

Une idée me traverse alors l'esprit.

Et si j'avais deviné ce que Jojo avait derrière la tête...

CHAPITRE 10

Un plan se dessine

– T'es au chalet? T'es au bungalow? Peu importe où tu passes la relâche, écoute Théo Radio!

Théo me fait entendre son «clip promotionnel», comme il l'appelle.

– C'est bon, hein? Avec ça, les gens entendent plus souvent le nom Théo Radio et ils vont prendre l'habitude de m'écouter!

Mon ami est persévérant. Son public n'a pas vraiment augmenté depuis le début de la relâche, mais il reste persuadé qu'il terminera la semaine avec plus d'auditeurs. Il redouble même d'ardeur pour les «conquérir un à un», comme il le dit!

Tandis que je l'aide à choisir la musique pour le Théo Show, j'ai envie de lui confier plus d'information sur ma mission… Mais comme mon meilleur ami parle beaucoup, il faut d'abord arriver à placer un mot!

– Tu sais, Justine, je ne peux pas faire toujours jouer Scarabée 360, même si c'est mon groupe préféré. Il faut répondre aux goûts de tous. En même temps, c'est important de suivre les tendances en musique et…

– Théo, la mission avec Jojo dont je t'ai parlé l'autre jour…

Mmm…

Théo continue de consulter sa liste d'écoute en réfléchissant à haute voix:

– Bon, je pourrais commencer avec Blanc cactus, puis enchaîner avec une chanson sur le thème du désert…

J'ai alors une idée de génie!

– Théo, il faut que tu viennes avec nous !

– Aller où ?

– Tu m'écoutes, Théo ? Je te parle de Jojo et moi, de notre mission !

– Hein, vous préparez une émission ?

Théo lève enfin la tête.

– Argh !

Théo me regarde avec un sourire piteux.

– Des fois, c'est difficile pour moi d'écouter. Il se passe tellement de choses dans ma tête !

Je lâche un petit soupir, mais je reprends mon histoire du début sans me faire prier.

– Dans deux jours, ma mamie sort de l'hôpital. Elle ne le sait pas encore, mais un événement très spécial l'attend…

Je ressens beaucoup d'excitation devant le plan que Jojo et moi avons élaboré plus tôt aujourd'hui chez Michel. Et, plus j'y pense, plus je crois que Théo devrait être de la partie...

Je décide donc de tout lui raconter. Cette fois, mon ami m'écoute... jusqu'à la fin!

CHAPITRE II

Le moment de vérité

Il faut que le plan fonctionne!

C'est ce que je me suis répété durant la longue route. Maintenant que nous sommes arrivés, il n'y a plus qu'à attendre.

De toutes mes forces, je me retiens de passer ma main sur ma rosette. C'est ma manie quand je suis nerveuse. Mais là, je dois faire attention à mon costume.

Jojo et moi, on porte toutes les deux le même long tissu bleu, pareil à celui qu'on retrouve là-bas...

Elle, par contre, semble détendue. Après tout, elle a l'habitude du trac!

Le trac, c'est la nervosité qu'on ressent avant d'effectuer quelque chose d'important, présenter un spectacle ou participer à une compétition par exemple. C'est Théo qui me l'a expliqué.

Lui, il se vante de ne jamais avoir le trac avant de parler au micro. J'ai envie de lui dire que c'est parce qu'il a très, très peu d'auditeurs, mais je me tais. Qui sait, ses efforts pour faire connaître Théo Radio seront peut-être récompensés d'ici la fin de la relâche. C'est un peu pour ça qu'il est ici avec nous, aujourd'hui.

Silencieux pour une rare fois, Théo se prépare dans un coin avec le téléphone prêté par son père. Il ne veut surtout pas rater sa chance de couvrir un tel moment...

Jojo jette un coup d'œil à son propre téléphone. De mon côté, je fais le guet par la petite fenêtre carrée. Toujours rien !

– Tu verras, Justine, tout se passera bien !

Jojo est toujours aussi souriante. Moi, j'hésite maintenant! Si Mamie n'aimait pas les surprises?

Trop tard! On entend une voiture s'avancer dans l'allée de gravier.

Le téléphone de Jojo vibre au même moment.

– Oh, oh, ils sont déjà là! Et moi qui croyais que l'hôpital était beaucoup plus loin.

Sérieux comme un reporter en mission à l'étranger, Théo nous rejoint aussitôt près de la porte.

– Est-ce que j'aurai le temps de faire un test avant d'enregistrer?

– Non, Théo, lui répond gentiment Jojo. De toute façon, ce qui va bientôt se passer, même les meilleurs micros du monde ne peuvent le capter. Écoutez bien. Un cœur qui s'ouvre ne fait aucun bruit, mais il vibre comme un orchestre au grand complet!

Théo nous regarde la bouche ouverte et les yeux ronds. Je crois bien que c'est la première fois de sa vie qu'il ne trouve rien à dire!

Jojo a remonté le tissu bleu sur son nez. En dessous, elle semble sourire.

Des aboiements se font entendre dehors. Il est temps de se mettre en place!

***

La voiture de mon père s'approche. Dans la grange-atelier, les chiens jappent de plus en plus fort. Eux aussi sont prêts!

Dehors, Michel, notre complice, se charge de l'accueil.

J'observe discrètement la scène par la petite fenêtre.

Je suis excitée, mais encore nerveuse. Mamie est là, debout dans l'allée avec ses béquilles et mes parents qui l'aident. Elle a un bandeau sur les yeux, comme prévu...

Ça y est! Elle sera dans la grange dans une minute.

– Prête, ma grande Justine?

Jojo, agent secret du nom de Granny Granole, m'adresse un clin d'œil.

Michel ouvre la porte...

Mamie entre, les yeux bandés. Mon père l'aide à se déplacer tandis que ma mère tient ses béquilles.

– Oh!

Les aboiements la font sourire.

Ouf! Elle n'est pas trop stressée.

Michel éloigne tout de même les chiens un peu trop excités.

– Je peux retirer le bandeau, maintenant ?

En silence, je m'approche et Jojo fait signe à ma mère que oui.

– Bonjour Mamie !

– Justine, c'est toi ?

J'avance vers elle avec mon grand turban bleu. Il cache aussi le bas de mon visage, exactement comme les chèches portés dans le désert.

– Mamie, Jojo et moi, on t'invite à jouer. C'est un jeu que tu connais bien.

Mamie est très étonnée et regarde tout autour. Ses yeux se posent sur Jojo.

– Toi, ma sœur…

On dirait que Mamie voudrait taquiner Jojo, mais elle est trop émue.

Je m'approche d'elle avec un grand tissu bleu.

– Vous voulez qu'on joue aux Bédouins ? Comment je vais faire en béquilles ?!

Jojo me donne un coup de main.

– Ne crains rien, ma sœur, on y a pensé ! Et le foulard, on va juste l'enrouler un peu autour de tes épaules. Tu ne seras pas décoiffée.

Mamie rit de bon cœur et on finit tous par rigoler avec elle.

Je continue ma distribution. Maintenant, mes parents, Michel et Théo ont aussi un foulard bleu à enrouler autour de leur tête. Par contre, mon meilleur ami risque de ne pas y arriver… Il tente de se faire un turban sans lâcher son téléphone !

– On peut s'asseoir ! décrète Jojo.

Mon père accompagne Mamie vers la chaise installée au centre. Posé au sol, juste à côté, il y a un coussin rouge avec quelques poils…

– Bon et que fait-on après ? demande
Mamie, curieuse.

Le chien au poil doré s'avance vers Mamie
en agitant la queue.

– Ah, il est comme Camel ! s'écrie Mamie.

Mamie serre la bête contre elle.

– C'est la première fois que je revois un berger de l'Atlas.

– On ne sait pas trop comment elle est arrivée ici, mais elle est très gentille, explique Michel.

Mamie caresse les poils dorés. Des larmes coulent sur ses joues.

Les deux autres chiens viennent nous rejoindre.

– Pour vous, madame !

Je tends à Mamie une petite assiette avec des dattes, quelques figues et d'autres fruits séchés.

Les ampoules s'éteignent au plafond, puis c'est le silence.

Du coin de l'œil, je vois Théo promener discrètement son téléphone pour filmer la scène.

Recueillie comme une prêtresse inca avant un rituel, Jojo s'avance avec sa cithare. Les yeux fermés derrière ses petites lunettes rondes, elle laisse glisser ses mains sur l'instrument. Elle pince les cordes dorées et un son inimitable emplit l'espace. À un moment, une voix étonnante se joint aux notes métalliques...

– Ahou! Ahou! Ahou!

Comme un loup, le berger de l'Atlas hurle avec l'instrument!

C'est si spécial que j'arrête presque de respirer. Théo a les yeux ronds comme des billes et il approche son téléphone de façon à capter le tout d'aussi près qu'il le peut.

Surprise elle aussi, Jojo ouvre les yeux derrière ses petites lunettes. En bonne musicienne, elle continue de jouer, accompagnée des hurlements.

Le concert unique s'achève. Le chien au poil doré décide finalement de retrouver son coussin rouge. Jojo fait taire sa splendide cithare.

Dans la grange-atelier, nous sommes sept humains (et trois chiens), mais nos applaudissements sont aussi forts que ceux d'une salle comble de la Place des Arts!

Jojo dépose son instrument, puis serre sa sœur très fort dans ses bras. Mamie la regarde, les yeux pleins d'eau.

– Merci, lui dit-elle, la gorge nouée par l'émotion. Et toi, ma coquine de Justine que j'aime tant, viens dans mes bras immédiatement!

Je m'élance vers Mamie. Les trois chiens me suivent, comme s'ils voulaient eux aussi participer au câlin.

– Ouf! Après plusieurs, plusieurs années, on dirait que je viens enfin de retomber sur mes pieds, s'exclame Mamie.

– Tu sais, chère sœur, ce n'est pas en restant chez soi, en sécurité, qu'on vit des moments comme celui-là… Ça donne envie de sortir un peu, non?

– Oui! Il me semble que m'éloigner et voir de nouveaux horizons me paraît moins effrayant maintenant. C'est comme si les peurs qui m'ont longtemps empêchée d'avancer avaient disparu…

Jojo et moi, on se sourit. C'est mission accomplie!

Pour la première fois depuis qu'elle est arrivée, ma mère ose jeter un coup d'œil à son téléphone.

– Sans vouloir vous interrompre, je dois te rappeler, Jojo, que l'heure avance et que ton avion part bientôt.

– Granny Granole doit déjà prendre son envol, soupire Jojo.

– Déjà?

Avec notre mission, j'avais oublié le départ de Jojo!

– Cette fois, j'aurais bien eu envie de rester, mais j'ai un concert demain soir à Los Angeles... Ma grande Justine, tu as réussi à me faire aimer un peu l'hiver. Faut le faire!

Je baisse la tête.

– Je n'ai pas envie que notre relâche ensemble se termine.

– Moi non plus! ajoute Théo. La présence d'une artiste, c'était vraiment un bon sujet pour la radio!

Mamie saute sur l'occasion et lance:

– Alors, il faut que tu reviennes bientôt, ma Jojo! La prochaine fois, je serai sur pied, c'est le cas de le dire, et nous irons marcher dans la neige. À défaut de sillonner le Sahara...

– Tu sais, chère sœur, il n'y a pas que le Sahara, lui répond Jojo. Un désert, il y en a un tout près de chez moi. C'est peut-être notre chance d'y aller ensemble. Avec notre grande Justine, bien sûr!

ÉPILOGUE

Une autre relâche
bien différente…

De là-haut, tout semble si petit! Je colle mon nez au hublot pour ne rien manquer. Oh, on dirait... Mais oui, ce sont elles! Les hautes collines avec les larges lettres plantées dedans : H-O-L-L-Y-W-O-O-D.

On s'approche du sol. Ça y est! Des palmiers! On est vraiment dans un pays chaud.

Quand l'avion a décollé tout à l'heure, la piste était tout enneigée... Et là, quelques heures plus tard, plus un seul flocon! C'est magique, non?

Cette semaine de relâche sera vraiment différente de toutes les autres! Difficile de croire que toute une année a passé depuis ma rencontre avec Jojo... Oh, il ne faut pas que j'oublie d'appeler Théo. On lui a promis au moins trois entrevues téléphoniques. C'est aussi ce que mon ami a annoncé aux milliers d'auditeurs de Théo Radio.

Eh oui, Théo a remporté son pari! Sa web-radio compte maintenant un véritable auditoire. C'est un peu grâce à moi...

L'an dernier, quand la semaine de relâche s'est terminée, Théo était presque une vedette! En quelques heures seulement, le clip filmé par Théo montrant Jojo la grande joueuse de cithare accompagnée d'un berger de l'Atlas est devenu viral, comme dit mon ami! C'est-à-dire que beaucoup, beaucoup de gens l'ont vu sur Internet. Et toutes ces personnes ont découvert en même temps Théo Radio!

Le paysage défile de plus en plus vite.

– On va se poser, ma belle Justine!

Mamie me serre la main très fort. Je l'ai rarement vue excitée à ce point. Elle est comme une petite fille... Mais avec de chics souliers. Elle n'a plus de plâtre au pied depuis longtemps.

Broum, broum, broum, les roues de l'avion se posent enfin sur la piste.

En un an, il y a eu des conversations au téléphone, un bonjour par webcam, plusieurs courriels et même des cartes postales. Quand même, tout ça, ce n'est pas comme se retrouver pour vrai.

Et puis, en un an, on a le temps de changer!

La preuve: il m'arrive très souvent de ranger ma chambre maintenant! J'ai même des tablettes où tout est placé en ordre. Sur celle du haut, il y a mes pots de vernis à ongles. Ma collection compte de nouvelles couleurs. Mes préférées sont sable chaud et une teinte rare que j'appelle bleu bédouin.

Ma rosette au milieu du front, elle, ne s'est toujours pas replacée. Mamie me dit maintenant de la laisser aller. Elle répète sans cesse qu'il faut «lâcher prise». Je ne sais pas si Mamie s'en rend compte, mais elle ressemble de plus en plus à sa sœur…

***

– Pas trop vite! Comme nous, c'est son premier voyage!

J'ai hâte, mais je ralentis un peu avec le chariot à bagages. Ce qu'on transporte est, disons, fragile…

Je regarde partout autour. Il ne faudrait pas se manquer!

Puis, soudain:

– Ma belle Justine!

Jojo est là, avec son collier de prêtresse inca et ses petites lunettes rondes toujours au bout du nez!

– Jojo !

Je me jette dans ses bras.

– Comme tu as grandi !

Jojo, elle, est presque la même qu'il y a un an, avec peut-être un peu plus de cheveux blancs.

Elle agite devant moi ses longs doigts de joueuse de cithare.

– Tu as vu ? J'ai choisi turquoise du Pacifique ! Je pense à toi chaque semaine lorsque je fais mes ongles !

Je n'arrive pas à le croire ! Ma Jojo se livre maintenant à une séance hebdomadaire de manucure !

Mamie et Jojo se jettent dans les bras l'une de l'autre.

En moins de deux, Jojo s'empare du chariot à bagages et nous entraîne vers la sortie.

– C'est un départ pour le désert de l'Ouest américain, mesdames !

– Attends un peu, Jojo, tu n'as pas encore rencontré le quatrième membre de notre expédition.

Jojo s'arrête et me regarde, étonnée. C'est maintenant à mon tour de faire mystère !

Mamie, en bonne complice, se contente de sourire, sans rien révéler.

D'un geste théâtral, je me penche vers le chariot, puis j'ouvre la cage à poignée. Ma boule de poils dorés préférée se réveille doucement en remuant son museau humide.

Dans mes bras, elle étire ses petites pattes !

– Mais il est identique ! C'est Camel !

– C'est presque ça, mais lui, il s'appelle... Caramel !

On ne le savait pas alors, mais la chienne accueillie par Michel l'hiver dernier attendait des bébés bergers de l'Atlas. Mamie en a tout de suite adopté un!

Lorsqu'il entend son nom, Caramel lâche un petit hurlement. C'est ce qu'il fait quand il est content.

Dans l'aéroport de la Californie, Mamie, Jojo et moi, on a soudain un fou rire qui ne veut plus s'arrêter...

L'aventure peut maintenant commencer!

FIN

Geneviève Dumais

Illustrateur : Bruno St-Aubin

1. Granny Granole